Canciones del colibrí

Para Pedro, estas canciones
que un colibrí me susurró al oído
M. R. J.

DIRECCIÓN EDITORIAL: Cristina Arasa
COORDINACIÓN DE LA COLECCIÓN: Mariana Mendía
PROYECTO EDITORIAL: Rodolfo Fonseca
CUIDADO DE LA EDICIÓN: Libia Brenda Castro
DISEÑO Y FORMACIÓN: Javier Morales Soto

Canciones del colibrí. Rimas de América Latina

Selección de textos e ilustraciones D. R. © 2014, Mariana Ruiz Johnson

PRIMERA EDICIÓN: enero de 2014
SEXTA REIMPRESIÓN: mayo de 2021
D. R. © 2014, Ediciones Castillo, S. A. de C. V.
Castillo ® es una marca registrada.
Ediciones Castillo forma parte de Macmillan Education.

Insurgentes Sur 1457, piso 25,
Insurgentes Mixcoac, Benito Juárez,
C. P. 03920, Ciudad de México, México.
Teléfono: 55 5482 2200
Lada sin costo: 800 536 1777
www.edicionescastillo.com

ISBN: 978-607-621-014-7

Miembro de la Cámara Nacional de la Industria Editorial Mexicana.
Registro núm. 3304

Impreso en México / *Printed in Mexico*

Selección e ilustraciones de
MARIANA RUIZ JOHNSON

Canciones
del colibrí

Rimas de América Latina

CASTILLO DE LA LECTURA

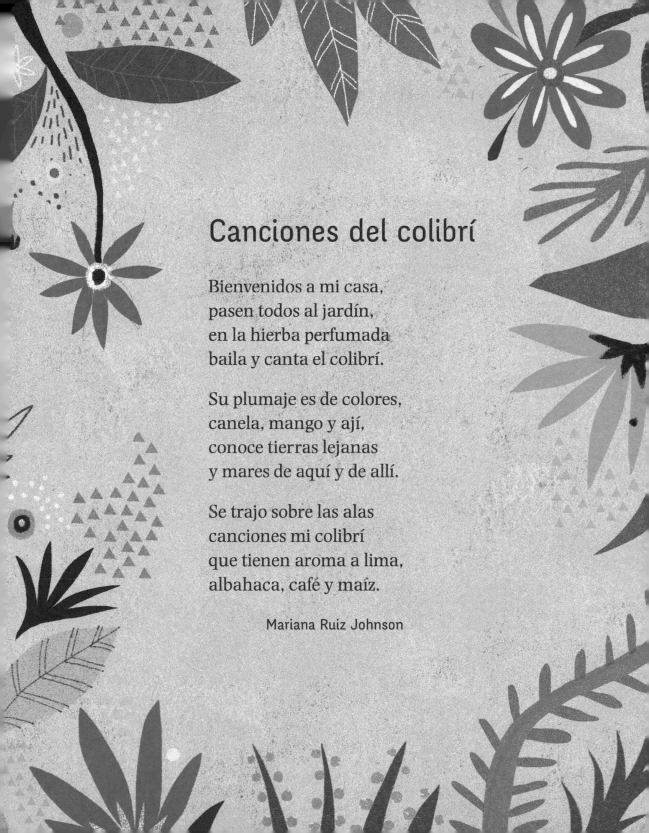

Canciones del colibrí

Bienvenidos a mi casa,
pasen todos al jardín,
en la hierba perfumada
baila y canta el colibrí.

Su plumaje es de colores,
canela, mango y ají,
conoce tierras lejanas
y mares de aquí y de allí.

Se trajo sobre las alas
canciones mi colibrí
que tienen aroma a lima,
albahaca, café y maíz.

Mariana Ruiz Johnson

Arbolito de naranja

Arbolito de naranja,
peinecito de marfil
de la niña más bonita
del Colegio de Guayaquil.

La Chanita y la Juanita
se fueron a cortar limones,
encontraron el árbol seco
y se dieron de topetones.

Canción ecuatoriana

Zapatico de charol

Zapatico de charol
mediecitas de color.
Hay de uvas, hay de menta,
para la niña más hermosa
que se llama doña Rosa
y le dicen ma-ri-po-sa.

Versión dominicana. Fragmento

Flores de mimé

A la orilla del río verbena de Maromé,
flores de mimé tengo sembrado,
azafrán y canela, verbena de Maromé,
flores de mimé, pimienta y clavo.

En la falda de la montaña de Maromé,
flores de mimé están sembrando,
un yucal, un cañal y canela de Maromé,
flores de mimé y maíz morado.

Cuando quiero cantarle a mi chata de Maromé,
flores de mimé con mi guitarra,
ensillo mi caballo plateado de Maromé,
flores de mimé y voy montado.

Versión hondureña

El torito

Éste torito que traigo
no es pinto ni colorado:
es un torito barroso
de los cuernos recortado.

¡Lázalo, lázalo, lázalo,
lázalo que se te va!

Y échame los brazos, mi alma,
si me tienes voluntad.

¡Lázalo, lázalo, lázalo,
lázalo que se te fue!

Échame los brazos, mi alma,
y nunca te olvidaré.

Este torito que traigo,
lo traigo desde Tenango,
y lo vengo manteniendo
con cascaritas de mango.

¡Lázalo, lázalo, lázalo,
lázalo que se te va!

Versión mexicana. Fragmento

Té, chocolate, café

¡Té, chocolate, café!
para servirle a usté.

No se enoje, don José,
que mañana le traeré
una taza de café
con pan francés,
amasado con los pies
en el año treinta y tres.

Versión uruguaya

La familia Cucharón

Mi papá Tenedor,
mi mamá Cuchara
y yo soy Cuchillito
de comida rara.

Mi abuelo Cucharón,
mi abuela Espumadera
y mi prima querida
Cuchara de Madera.

Estaba el negrito aquel,
estaba comiendo arroz:
el arroz estaba caliente
y el negrito se quemó.

La culpa la tiene usted,
por lo que sucedió,
por no haberle dado cuchara,
cuchillo ni tenedor.

Versión peruana

La petenera

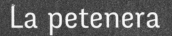

La sirena está encantada
porque desobedeció,
nomás por una bañada
que en Jueves Santo se dio,
y a la semana sagrada.

La sirena de la mar
me dicen que es muy bonita;
yo la quisiera encontrar
pa besarle su boquita,
pero como es animal
no se puede naditita.

Versión mexicana. Fragmentos

El gallito

Hay tres noches que no duermo, la, la,
al pensar en mi gallito, la, la.
Pobrecito, la, la, se ha perdido, la, la
y no se dónde estará.

Tiene las plumas de oro, la, la
y la cresta colorada, la, la.
Mueve el ala, la, la, abre el pico, la, la
y no sé dónde estará.

Versión guatemalteca. Fragmento

La víbora de la mar

A la víbora, víbora
de la mar, de la mar,
por aquí pueden pasar.
Los de adelante corren mucho
y los de atrás se quedarán,
tras, tras, tras, tras.

Una mexicana que fruta vendía:
ciruela, chabacano, melón o sandía.

Verbena, verbena, la virgen de la cueva.
Verbena, verbena, jardín de matatena.

Campanita de oro
déjame pasar
con todos mis hijos
menos el de atrás,
tras, tras, tras.

Será melón, será sandía,
será la vieja del otro día, día, día.

Versión mexicana. Fragmento

Naranja dulce

Naranja dulce
limón partido,
dame un abrazo
que yo te pido.

Si fuera falso
tu juramento,
en un momento
te olvidaré.

Toca la marcha,
mi pecho llora,
adiós señora
que ya me voy.

Si acaso muero
en la batalla
tened cuidado
de no llorar.

Versión puertorriqueña. Fragmento

Rana Cucú

Cucú, cucú cantaba la rana,
cucú, cucú debajo del agua.
Cucú, cucú pasó un caballero,
cucú, cucú con capa y sombrero.
Cucú, cucú pasó una señora,
cucú, cucú con traje de cola.
Cucú, cucú pasó un marinero,
cucú, cucú vendiendo romero.
Cucú, cucú le pidió un ramito,
cucú, cucú no le quiso dar.
Cucú, cucú y se echó a llorar.

Versión colombiana. Fragmento

Los esqueletos

Cuando el reloj marca la una
los esqueletos salen de su tumba,
tumba, que tumba, que tumba, tumba, tumba.

Cuando el reloj marca las dos,
dos esqueletos comen arroz,
tumba, que tumba, que tumba, tumba, tumba.

Cuando el reloj marca las tres,
tres esqueletos se vuelven al revés,
tumba, que tumba, que tumba, tumba, tumba.

Versión costarricense. Fragmento

Déjala que se vaya

Que se vaya esa paloma,
ella no supo hacerse querer conmigo.

Cuando llegue a una laguna seca,
allí en la pampa va estar buscando agua.

Cuando llegue a un árbol seco sin hojas,
de rama en rama va estar volando.

Pagará las lágrimas de su amado,
llorando como el río o como la lluvia.

Versión boliviana. Fragmento

Las estrellitas

Corre, corre niño,
pajarito vuela,
que las estrellitas
ya están en la escuela.

La maestra luna dicta la lección
y las estrellitas ponen atención.
Una estrella chica se pinta de tiza
y las estrellitas se mueren de risa.

Ja ja ja ja ja,
jo jo jo jo jo.

Versión salvadoreña. Fragmento

Caballito blanco

Caballito blanco
llévame de aquí,
llévame a mi pueblo,
donde yo nací.

Tengo, tengo, tengo,
tú no tienes nada,
tengo tres ovejas
en una cabaña.

Una me da leche,
otra me da lana,
y otra, mantequilla
para la semana.

Versión chilena. Fragmento

Los pollitos

Los pollitos dicen
pío, pío, pío,
cuando tienen hambre,
cuando tienen frío.

La gallina busca
el maíz y el trigo,
les da la comida
y les presta abrigo.

Bajo sus dos alas
se están quietecitos,
y hasta el otro día
duermen calentitos.

Versión argentina. Fragmento

Drume negrita

Drume negrita
que yo va a comprá nueva cunita,
que tendrá capité y también cacabé.
Si tú drume yo te traigo un mamey muy colorao,
si no drume yo te traigo un babalao,
que da pau pau.

A la negrita se le salen
los pies de la cunita
y la negra Mercé ya no sabe qué hacé.

Drume negrita
que yo va a comprá nueva cunita,
que tendrá capité y también cacabé.
Si tú drume yo te traigo un mamey muy colorao,
si no drume yo te traigo un babalao,
que da pau pau.

Versión cubana. Fragmento

Estas canciones aladas se imprimieron para ti en una tierra lejana donde nace el maíz, en los talleres de Litográfica Ingramex, S. A. de C. V. Centeno 162-1, Granjas Esmeralda, Iztapalapa, C. P. 09810, Ciudad de México, México, Mayo de 2021.